ВИДЫ
ЛОНДОНА

В черте старинных стен

ПРЕДЫДУЩИЕ СТРАНИЦЫ: *Японское парусное судно проплывает под Тауэрским мостом.*

ВНИЗУ: *Один из геральдических грифонов, которыми отмечены границы Сити Лондона на главных транспортных магистралях.*

Сити Лондона вырос на самом незавидном месте, на сыром комарином болоте. Однако место это было важной для римлян переправой через реку Темзу, и вскоре здесь образовался торговый центр. Королева Боудикка и ее племя Исени (из района, которой теперь называется Норфолк) разрушили Лондиниум в 61 году н.э., но вскоре город был заново отстроен и превратился в столицу провинции Британния. В городе появилась великолепная базилика (ратуша), прекрасный дворец, форт и храм. Это была безусловно процветающая колония. Только примерно в 200 году н.э. римляне возвели вокруг города оборонительные стены, остатки которых все еще можно видеть недалеко от Музея Лондона на улице Лондон Уолл 150, а также с северной стороны Тауэра.

К 410 году н.э. западная часть Римской империи развалилась и ее войска покинули Англию. Город превратился в развалины, но к 9 веку он снова стал процветать, хотя регулярно подвергался набегам викингов.

СПРАВА: *Корона Св.Эдуарда – самая ранняя из сохранившихся корон государей, заменившая корону короля Эдуарда Исповедника. Она была изготовлена по случаю коронации Чарльза II.*

ВНИЗУ: *Среди Королевских драгоценностей – королевский скипетр с крестом со «Звездой Африки» – самым большим в мире и самым высококачественным гранёным алмазом.*

Тауэр Лондона

В 1066 году норманны вторглись в страну, и Вильгельм Завоеватель построил мощную крепость (сегодня известную как Белый Тауэр) для покорения свирепого населения. Ричард I «Львиное Сердце» и Эдуард I еще более укрепили крепость, построив стены с башнями бастиона. До 17 века Тауэр был укрепленным королевским дворцом, но затем здесь появились зверинец, монетный двор, обсерватория, арсенал, там хранился государственный архив и содержались государственные преступники. В настоящее время в крепости находятся Королевский арсенал и Королевские драгоценности.

О мрачном прошлом Тауэра напоминают Ворота предателей – въезд со стороны реки, через который в крепость попадали заключенные. Затем Кровавая башня, в которой молодые принцы Эдуард V и Герцог Йоркский по слухам были убиты их дядей около 1483 года. Позднее здесь двенадцать лет сидел в заточении сэр Вальтер Ралег. Две жены Генриха VIII, Энн Болейн и Катерина Ховард, были казнены в Зеленой башне, но самой печальной была казнь в 1554 году «девятидневной королевы», лэди Джейн Грей.

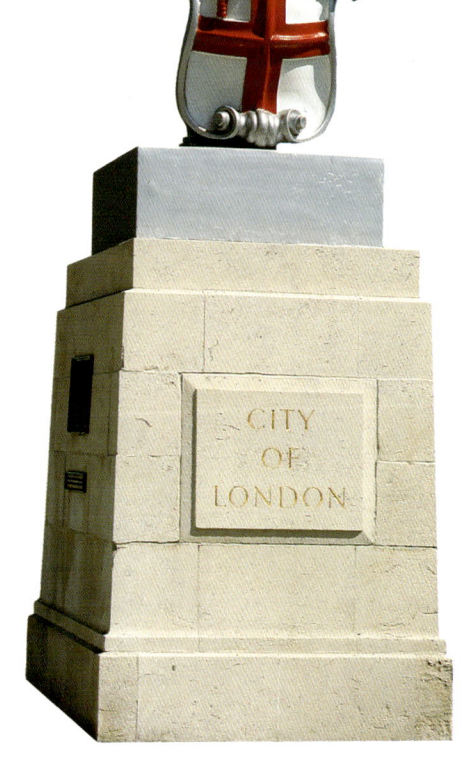

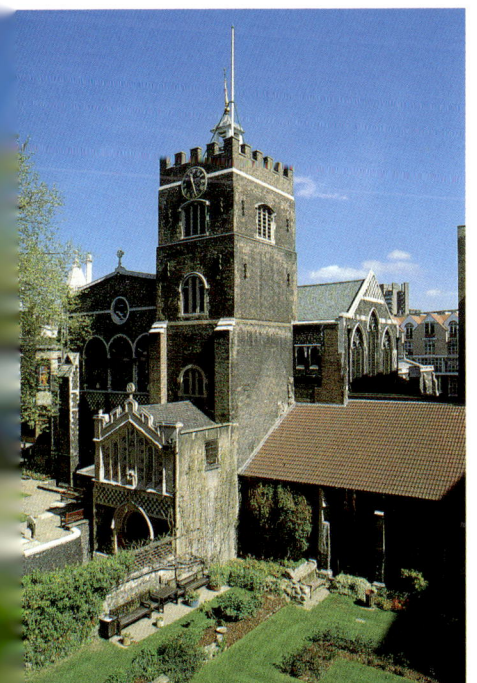

НАВЕРХУ: *Главная башня Тауэра Лондона была окрашена в белый цвет Генрихом III – поэтому она называется «Белая башня».*

СПРАВА: *Старший йомен-надзиратель. Сформированные Генрихом VII в 1485 году «солдаты охраны лондонского Тауэра» по-прежнему носят одежды эпохи Тюдоров.*

СЛЕВА: *Проход в церковь Св.Варфоломея Великого, самой старой церкви Лондона, был сооружен в эпоху Тюдоров.*

Собор Св. Павла

Этот потрясающий собор на вершине Ладгейтского холма построен сэром Кристофором Реном после Великого пожара 1666 г., разрушившего на этом месте нормандское строение. Великолепный купол и богато украшенные колокольни в стиле барокко были задуманы доминировать над Сити; сегодня они вынуждены соперничать с тусклыми стеклянными зданиями офисов.

Внутри, с западной стороны, на расстоянии 150 м – внушающий благоговение высокий алтарь с огромным балдахином. Впереди – кресла клироса, украшенные резными цветами и фигурками работы Гринлинга Гиббонса.

От старого собора осталась только стоящая в боковом нефе южного клироса фигура Джона Донна (1573–1631), самого знаменитого декана и вдохновенного проповедником, писавшего и глубокие по содержанию проповеди, и страстные поэмы о любви.

Над переходом – огромный купол, состоящий из трех секций. Внутри купола проходит Акустический свод, в котором тихо сказанные слова легко слышны на расстоянии 34 метра стоящими с противоположной стороны свода.

В гигантском склепе собора (самом большом в мире) – могилы Герцога Веллингтона и лорда Нельсона, и самого Рена. Эпитафия на его могиле гласит: *Si monumentum requiris, circumspice* («Если хочешь посмотреть на мой памятник, оглянись вокруг»).

НАВЕРХУ СПРАВА: *Великолепный западный фронтал собора Св.Павла. Купол Рена увенчан каменным фонарем в стиле барокко с золотым шаром и крестом.*

СПРАВА: *Сегодня новые здания в лондонском Сити загородили собой старинные дома, но купол Св.Павла по-прежнему величественен.*

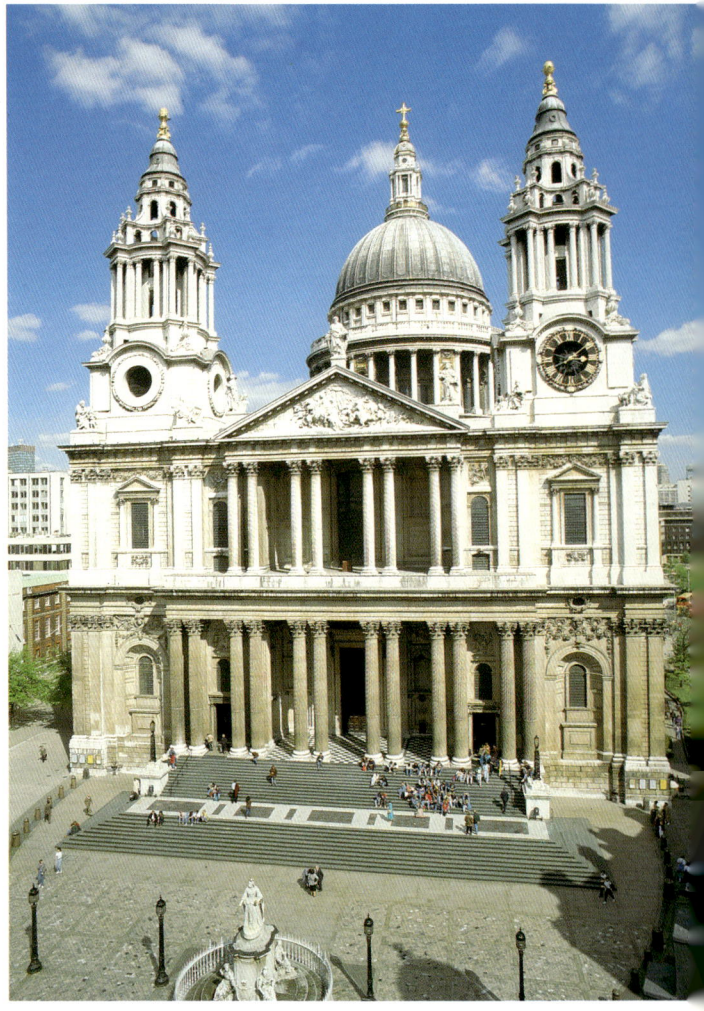

Сердце торговли

Корпорация Лондона – это административный орган Сити, действующий через Суд городского совета, который проводит свои заседания в Ратуше. С 13 века ливрейные компании оказывали сильное влияние на правительство и торговлю, и именно они выдвигали кандидатов в Лорд-мэры. С 1752 года его официальной резиденцией стал Меншин Хаус – величественное палладианское здание архитектора Джорджа Данса Старшего.

Центрами финансовой деятельности Сити являются Банк Англии, основанный в 1694 году, наружные стены которого всё ещё следуют первоначальному дизайну Сэра Джона Суэйна, Архитектора при Банке с 1788 по 1833 гг.; Фондовая биржа; и Ллойдз, международное страховое общество, которое теперь находится в противоречивом, "вывернутом наизнанку" здании архитектора Ричарда Роджерса.

НАВЕРХУ: *Выполненное в готическом стиле 15 века внутреннее убранство Великого зала – церемониального места заседаний в потолка, символизируют собой двенадцать главных ливрейных компаний.*

СЛЕВА: *Эти эскалаторы зигзагами поднимаются над торговым этажом в центре построенного по проекту Ричарда Роджерса здания Ллойда Лондона. Вокруг архитектуры этого здания велись жаркие дебаты, но здание в конце-концов открыло свои двери в 1986 году, и в настоящее время является одной из достопримечательностей Сити.*

Исторический Вестминстер

Присвоено звание барристера

Сити Лондона и Вестминстер соединены улицами Флит Стрит и Стренд, на которых стоит массивное здание Королевского суда правосудия, построенное в 1882 году (или просто «Суд») по проекту Г.Е.Стрита в неоготическом стиле. Это здание, которое не следует путать с Центральным уголовным судом «Олд Бейли» в Сити, стоит на месте печально знаменитой Ньюгейтской тюрьмы. В начале каждой сессии и по торжественным случаям судьи все еще носят букетики пахучих трав и цветов в память о зловониях и болезнях старой тюрьмы.

Чуть в стороне от шумных Флит Стрит и Хай Холборн стоят четыре гостиницы Суда, в прямоугольных дворах которых отдыхают конторские служащие. С 14 века эти гостиницы – место проживания адвокатов и студентов-юристов. Построенный в 1492 Старый Зал гостиницы «Линкольн» известен своей балочной крышей и обшивкой из свернутого полотна 16-го столетия. В зале Среднего храма студентам, сдавшим экзамены, «присваивают звание барристеров». В 1601 году здесь была поставлена Шекспировская «Двенадцатая ночь». Во дворе Внутреннего храма стоит церковь Св.Марии, построенная рыцарями Темплар в 12 столетии.

НАВЕРХУ: *Сомерсет Хаус – красивое здание на улице Стренд, построенное по проекту сэра Уильяма Чемберса в 1776 году для правительственных офисов. В настоящее время здесь размещаются галереи Института Куртолд.*

СЛЕВА: *На этой построенной Реном церкви Св.Клементия Дэйнса на Стренде (около 1680) установлены колокола, упоминаемые в детском стихотворении «Апельсины и лимоны».*

СПРАВА: *Адмиралтейская арка в конце Молла была сооружена в 1910 году по проекту сэра Астона Вебба в память королевы Виктории.*

Трафальгарская площадь

Над популярной среди демонстрантов и туристов Трафальгарской площадью – памятник величайшему военно-морскому герою Англии адмиралу лорду Нельсону. В северной ее части – Национальная галерея, а к востоку – грациозная церковь Св.Мартина-ин-де-Филдс 1726 г. шотландского архитектора Джеймса Гиббса.

Уайтхолл

Эта улица отходит от Трафальгарской площади с юга и ведет к центру британского правительства на Парламентской площади. Самое заметное здание здесь – палладианский Банкетный Дом Иниго Джонса постройки 1622 года. Салон известен своим потолком, расписанным Рубенсом, на котором среди многочисленных херувимов (каждый высотой три метра) – благословения мудрого правления. Из окна этого дома король Чарльз вступил на эшафот, чтобы умереть «мучеником народа».

Напротив стоит Конная гвардия, привлекательное здание 18 столетия с часовой башней, около которого по утрам проходит красочная церемония смены караула. За ним на плацу Конной гвардии каждый год в июне проходит церемония выноса знамен.

СЛЕВА: *Над Трафальгарской площадью доминирует 170-футовая (52-метровая) колонна, на которой стоит статуя адмирала лорда Нельсона. Его основные сражения изображены на бронзовых барельефах подиума.*

НАВЕРХУ: *Единственной сохранившейся частью старого дворца Уайтхолл является Банкетный Дом с каменной балюстрадой, с которой подданные короля могли наблюдать за обедом своего государя.*

СПРАВА: *Один из двух кавалеристов Домашней кавалерии, стоящих каждый день на посту перед зданием Конной гвардии.*

Парламент

В построенном Чарльзом Бэрри и Августом Пуджином в 1837–1860 гг. броском, неоготического стиля здании Парламента – палаты, кулуары и офисы членов парламента, соединенные между собой коридорами общей длиной в две мили (3,2 км). В Палате Общин Спикер ведет дебаты, правительство и оппозиции смотрят друг на друга через ящики для почты, причем министры сидят на передних скамьях. Законопроекты отсюда идут в Палату Лордов, где иногда в них вносят изменения.

Парламент называют также Вестминстерским дворцом, поскольку он построен на месте дома английских монархов от Эдуарда I до Генриха VIII.

СПРАВА: *Бронзовые фигуры отважной королевы Боудики и ее дочерей, несущихся на колеснице (Томас Торникрофт, 1850-е годы). Над ними – башня Биг Бена.*

ВНИЗУ: *Изумительно красивая Палата Лордов с искусно отделанным троном работы Пуджина на заднем плане и мешком с шерстью Лорда-канцлера перед ним.*

СЛЕВА:
Парламентская площадь была спланирована в 1868 году сэром Чарльзом Бэрри. На ее тротуарах установлены памятники знаменитым политическим деятелям и воинам, включая Дизраэли, фельдмаршала Сматса и Уинстона Черчилля.

ВНИЗУ:
Большая часть Вестминстерского зала была построена в 1097 года, однако великолепная крыша с идущими от основания стропил балками была возведена по приказу Ричарда II в 1394 году. Статуи в нишах изображают средневековых королей.

Старый дворец сгорел в пожар 1834 г., уцелели только средневековый Вестминстерский зал, аркада и подвалы часовни Св.Стефана, и обнесенная рвом Башня Драгоценностей, построенная в 1366 г. Эдуардом III. Вестминстерский зал, место проведения многих королевских празднований, включая коронации, венчается массивной балочной крышей с ангелами.

Излюбленный объект съемки, Биг Бен на башне Св.Стефана, на самом деле – огромный колокол весом 13,7 тонн, который отбивает время. Для поддержания точного времени при регулировке часового механизма используют старые пенсовые монеты. Минутные стрелки на каждом из четырех циферблатов высотой с двухэтажный автобус.

ИСТОРИЧЕСКИЙ ВЕСТМИНСТЕР

Вестминстерское аббатство

Основанное Эдуардом Исповедником и освещенное в 1065 году Вестминстерское аббатство было местом проведения коронаций всех монархов, начиная с Вильгельма I (Завоевателя), за исключением Эдуарда V и Эдуарда VIII, и поэтому всегда находилось в центре истории страны. Это также место погребения всех английских королей и королев вплоть до Георга III.

В 1245 году Генрих III начал перестройку аббатства, которую в течение трех веков продолжали последующие монархи, строго выполнявшие проект короля Генриха по строительству как бы парящего в воздухе нефа, опирающегося на аркбутаны, расходящихся лучами от апсиды часовень и окон-розеток в трансептах. Ярчайший образец работы по камню эпохи Тюдоров можно увидеть в часовне Генриха VII, в которой веерный свод покрыт тонкой как паутина резьбой. В середине 18-го века Николас Хоксмур добавил две башни высотой 225 футов (69 метров) каждая.

Кроме королевских могил, посетители обычно посещают Уголок поэтов, где стоят памятники знаменитым людям, от Чосера до Лоуренса Оливье. Могила неизвестного воина, помеченная лежащей на полу плитой черного мрамора, напоминает об ужасных человеческих потерях во время Первой мировой войны.

СЛЕВА: Настоящее название Вестминстерского аббатства – Коллегиальная церковь Св.Петра в Вестминстере. Она воплотила в себе дух французской готической архитектуры.

СПРАВА: Часовня короля Генриха VII – захватывающий дух образец позднего «перпендикулярного» стиля. Знамена принадлежат кавалерам Ордена Баса первой степени

ВНИЗУ: Позолоченные бронзовые фигуры короля Генриха VII и королевы Элизабеты Йоркской.

НАВЕРХУ: Выходящий на восток неф с памятником Уинстону Черчиллю и могилой Неизвестного воина на переднём плане.

СЛЕВА: Запрестольный образ 15-го века, написанный по дереву художником Биччи де Лорецо. Справа от Мадонны и Младенца – Св. Антоний из Падуи и Св.Джиованни Галберти; слева – Св.Джон Баптист и Св.Катерина из Египта.

Букингемский дворец

Георг IV решил превратить Букингемский дом в резиденцию, достойную английских королей. Несмотря на всеобщую критику Джон Наш приступил к перестройке, поглотившей огромные государственные средства. Она длилась так долго, что ни Георг IV, ни его брат Уильям IV так и не дожили до ее конца. Королева Виктория, однако, любила Букингемский дворец (несмотря на то, что многие из его 1.000 окон не открывались, навешанные кое-как двери, отсутствие вентиляции в туалетах и неработавшие звонки). Эдуард Бло в 1847 г. благополучно завершил перестройку.

Многие парадные комнаты очень большие и роскошно отделанные, прежде всего Белая гостиная, Музыкальная комната с куполом и 18 колоннами из мраморной штукатурки темносинего цвета и Парадная столовая, окрашенная в живой малиновый цвет. Королевская семья занимает относительно немного из 600 комнат, остальные – это кабинетами и жилыми комнатами членов королевского двора.

Почти каждое утро к радости толпы на переднем дворе проходит самая популярная в Лондоне церемония смены караула.

Для публики открыта Королевская галерея, в которой представлены картины из Королевской коллекции. Дальше по улице Букингем Палас Роад расположены Королевские конюшни, где можно посмотреть на лошадей и кареты королевы.

СПРАВА: *Королева в австралийской парадной карете на пути к Парламенту по случаю торжественного открытия Парламента в 1988 году. Карета, которая сделала свой первый выезд, была подарком народа Австралии по поводу двухсотлетнего юбилея страны.*

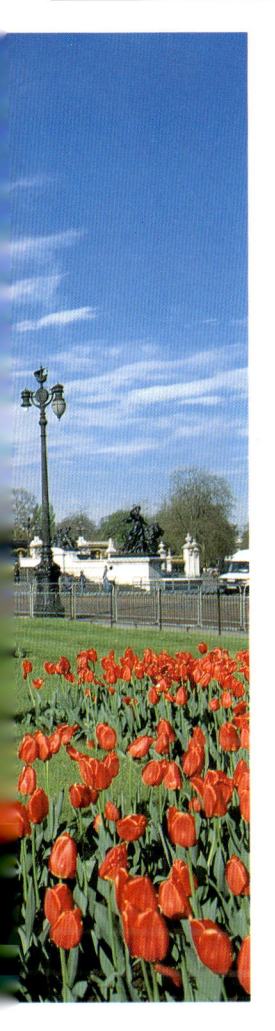

СЛЕВА: *В восточном крыле Букингемского дворца, где находится знаменитый балкон, в 1913 году Вебб заменил облицовку здания на портландский камень. Он также предусмотрел сооружение памятника королеве Виктории, который находится перед дворцом.*

СПРАВА: *Передав ключи от Дворца во время символической церемонии, Старая гвардия маршем уходит под звуки бодрой музыки полкового оркестра.*

НАВЕРХУ СПРАВА: *Над дверями тюдоровской сторожки Сент-Джеймского дворца вырезаны инициалы Генриха VIII и Энн Болейн.*

Сент-Джеймский дворец

Генрих VIII построил этот дворец из красного кирпича на месте больницы для прокаженных. Сторожка с башнями образует вход во дворец, в котором сегодня находятся кабинет принца Уэльского. В нем принимают глав государств и дипломатов, а во дворе мужского монастыря объявляют о новом государе.

Во дворце родились несколько монархов, включая Чарльза II, по чьему распоряжению сэр Кристофор Рен пристроил несколько чудесных парадных комнат, выходящих в парк.

Почти каждое утро Старая гвардия марширует отсюда к Букингемскому дворцу, представляя собой красочное зрелище для прохожих.

Центр Лондона

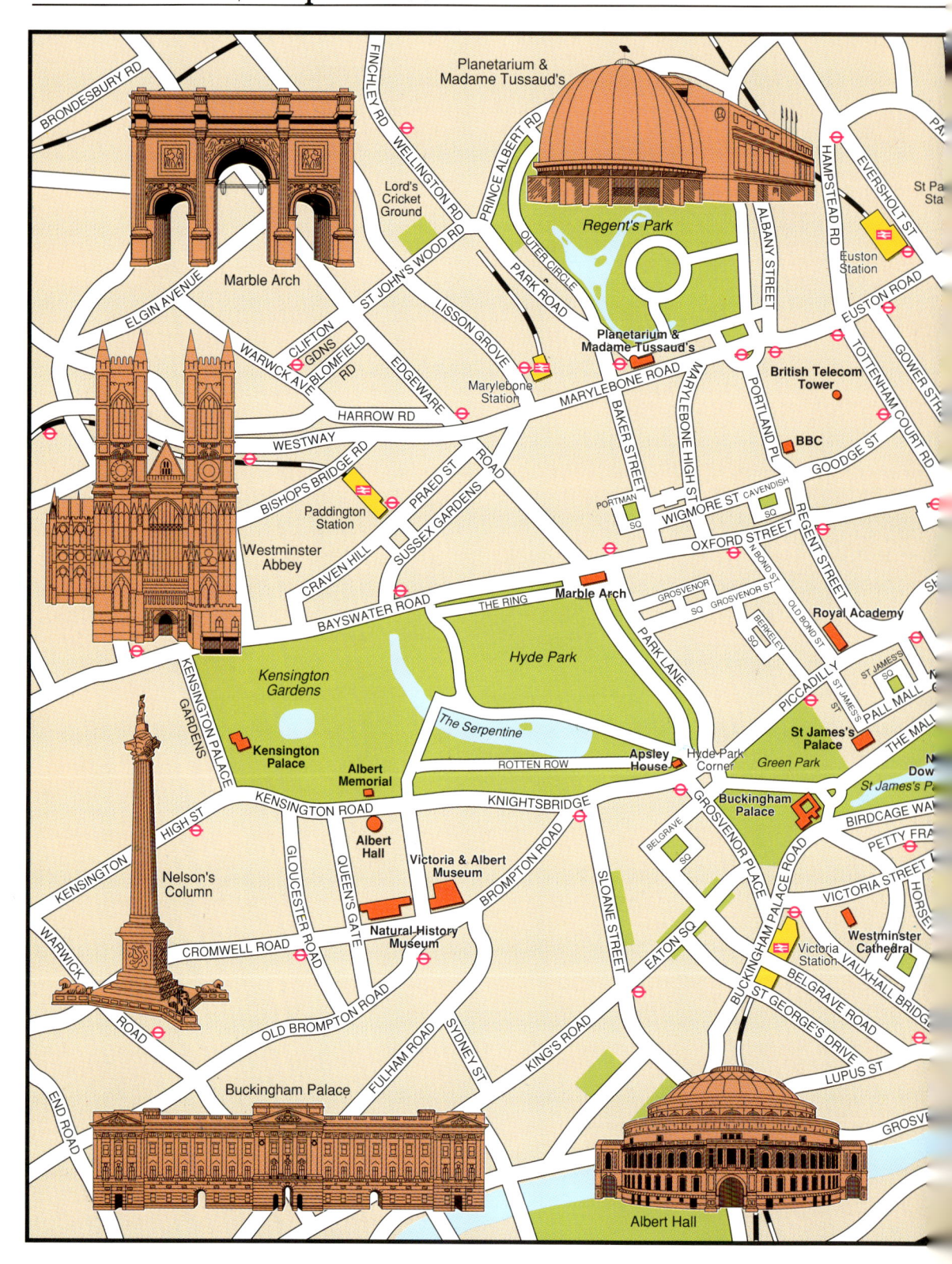

15

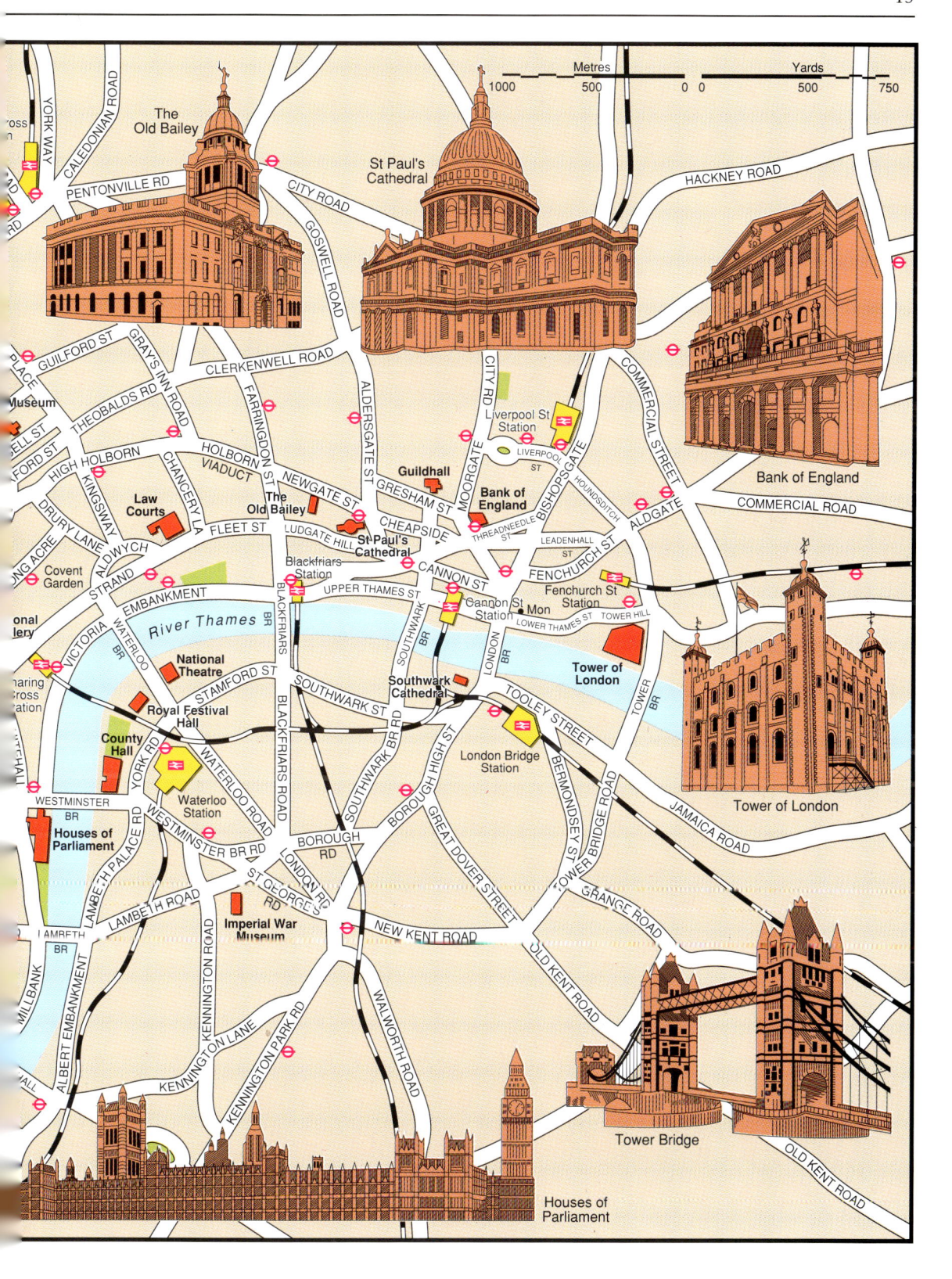

The Old Bailey
St Paul's Cathedral
Bank of England

YORK WAY • CALEDONIAN ROAD • PENTONVILLE RD • CITY ROAD • GOSWELL ROAD • HACKNEY ROAD

GUILFORD ST • GRAY'S INN ROAD • THEOBALDS RD • CLERKENWELL ROAD

Museum • HIGH HOLBORN • HOLBORN VIADUCT • FARRINGDON ST • ALDERSGATE ST • NEWGATE ST • GRESHAM ST • Guildhall • Bank of England • COMMERCIAL STREET

KINGSWAY • CHANCERY LA • The Old Bailey • CHEAPSIDE • THREADNEEDLE ST • BISHOPSGATE • HOUNDSDITCH

Law Courts • FLEET ST • LUDGATE HILL • St Paul's Cathedral • LEADENHALL ST • ALDGATE • COMMERCIAL ROAD

DRURY LANE • ALDWYCH • STRAND • Blackfriars Station • CANNON ST • Cannon St Station • Mon • FENCHURCH ST • Fenchurch St Station

Covent Garden • EMBANKMENT • UPPER THAMES ST • LOWER THAMES ST • TOWER HILL

National Gallery • VICTORIA • WATERLOO BR • BLACKFRIARS BR • **River Thames** • SOUTHWARK BR • LONDON BR • Tower of London

Charing Cross Station • National Theatre • STAMFORD ST • Southwark Cathedral • TOOLEY STREET

Royal Festival Hall • London Bridge Station • BERMONDSEY ST • JAMAICA ROAD

County Hall • YORK RD • WATERLOO ROAD • SOUTHWARK ST • SOUTHWARK BR RD • BOROUGH HIGH ST • TOWER BRIDGE RD

WESTMINSTER BR • Waterloo Station • BLACKFRIARS ROAD • BOROUGH RD • GREAT DOVER STREET • GRANGE ROAD

Houses of Parliament • LAMBETH PALACE RD • WESTMINSTER BR RD • LONDON RD • ST GEORGE'S RD

LAMBETH RD • Imperial War Museum • NEW KENT ROAD • OLD KENT ROAD

LAMBETH BR • MILLBANK • ALBERT EMBANKMENT • KENNINGTON ROAD • KENNINGTON LANE • KENNINGTON PARK RD • WALWORTH ROAD • OLD KENT ROAD

Tower of London
Tower Bridge
Houses of Parliament

Metres 1000 500 0 Yards 0 500 750

Уэст-Энд

Рай для покупателей

Площадь Пиккадилли – центр Уэст-Энда, а отходящие от нее улицы, особенно Шафтсбери и Хэймакет, знамениты своими театрами. В центре площади – крылатая статуя Эроса, олицетворяющего собой Ангела христианской благотворительности.

Красивый изгиб улицы Риджент, построенной в 1813–1820 годах архитектором Джоном Нашем, ведет к улице Оксфорд, на которой много универсальных магазинов, таких как «Селфридж» и «Дебенамс». В магазине «Маркс энд Спенсер» в доме номер 458 можно купить прекрасную одежду по приемлемым ценам.

Специализированные магазины, особенно ювелирные и магазины живописи, расположены на улице Бонд, которая выходи в район Мэйфэа, где живут богатые.

Улица Карнаби

Рассчитанная в 18 веке на «живущих поблизости бедных и несчастных людей» улица Карнаби помолодела в веселые шестидесятые годы, когда здесь открылись модные магазины. Сегодня молодежь привлекают сюда магазины, предлагающие старинную и современную одежду.

ВНИЗУ СЛЕВА:
Аукцион картин импрессионистов и современной живописи в «Сотби».

ВНИЗУ СПРАВА:
Признаком хорошего тона считается покупать в магазинах грациозной Королевской аркады на улице Бонд.

Сохо

Странное название происходит от старинного охотничьего клича. Этот район, в котором со времен Чарльза II жили иммигранты, с 20-х годов стал известен своими иностранными ресторанами и гастрономами, которое заменили многие секс-магазины и стриптизы, из-за которых это место пользуется плохой репутацией. Площадь Сохо – приятное зеленое место, застроенное солидными домами.

СЛЕВА: *Красные автобусы, такси и красочные рекламные объявления создают хорошо знакомый облик всегда оживленной площади Пиккадилли. Ее название происходит от жабо 17-го столетия, которое называлось «пиккадил».*

Ковент Гарден

До 1974 года на протяжении 300 лет в Ковент Гардене был фруктово-овощной рынок, но транспортные пробки заставили перенести его в Найн Элмс, недалеко от Воксхола. Сегодня здание рынка Чарльза Фоулера начала 1830-х гг. разделено на симпатичные магазинчики с кафе в проездах. В старом здании рынка, построенном Фоулером, расположены Театральный музей и Музей лондонского транспорта, в котором можно увидеть конку и первый паровой поезд метро. Праздничной атмосфере Ковент Гарден способствуют уличные артисты, часто выступающие на фоне классического портика церкви Св.Павла архитектора Иниго Джонса.

Королевский дом оперы построенный по элегантному дизайну Е.М. Барри в 1858 году, в настоящее время закрыт для внутренних перестроек. Он снова откроется в 1999 году.

НАВЕРХУ: *Человек-оркестр развлекает в Ковент Гардене как лондонцев, так и туристов.*

СЛЕВА: *Этот прилавок в продуктовом зале магазина «Харродс» наверняка удовлетворит самый изысканный вкус. В этом крупнейшем в Европе магазине продается практически все: от свежего лосося до позолоченных кранов. В магазине, расположенном в Найтсбридже, насчитывает 60 различных модных отделов.*

Культурная жизнь

Картинные галереи

Главная коллекция картин в Великобритании находится в Национальной галереи на Трафальгарской площади. В ней – картины художников крупнейших школ живописи Европы с 13-го века. Рядом – Национальная портретная галерея, в которой выставлены портреты всех видных британцев, от Генриха VII до Битлз. В постоянной коллекции Королевской академии живописи на Пиккадилли – работы великих британских художников, таких как Гейнсборо, Констабл и Тёрнер. В ней также ежегодно проводятся выставки картин из частных коллекций. Величие гения Тёрнера можно оценить в новой галерее Клоре в Тейте, Миллбанк. В этой галерее хранится национальная коллекция британской и современной зарубежной живописи.

Музеи

Четыре музея в Южном Кенсингтоне появилась благодаря принцу Альберту, супругу королевы Виктории, который вынашивал эту идею с Великой выставки 1851 года. Музей Виктории и Альберта на улице Экзибишн Роад славится своей коллекцией античной мебели, но в раскинувшихся на 7 миль (11 км) галереях можно увидеть все аспекты декоративного искусства. Напротив, в Музее науки, посетители могут увидеть и первые паровые машины, и космическую капсулу «Аполло 10». За углом расположился Музей истории естественной природы, в который входит Геологический музей.

Наиболее полную коллекцию антиквариата можно найти в Британском музее на улице Грейт Рассел, а с историей столицы знакомит музей Лондона в Сити.

НАВЕРХУ: В Галереи Тейт представлены как скульптуры, так и картины.

СПРАВА: Начав в 1824 году всего с 38 работ, Национальная галерея сегодня располагает свыше 2.000 картин наиболее известных в мире художников от Джиотто до Ван Гога.

СЛЕВА: Напоминающая собор терракотовая архитектура Музея истории естествознания, открытого в 1881 году, представляет собой удобное хранилище для различных чудес живой природы. В его залах дети с восхищением взирают и на букашек, и на гигантских динозавров.

Театр и музыка

Театральный Лондон знаменит на весь мир. В репертуаре его театров – от эффектных музыкальных спектаклей, пустых комедий и детективов до экспериментальных, «на грани» шоу и лучших постановок классической драматургии. Театры Вест-Энда отделаны в викторианском стиле с богато украшенными ложами и балконами.

Другая крайность – Центр искусства и конференций «Барбикан» в Сити, открытый в 1982 году, в концертном зале которого ежедневно звучит классическая музыка.

С июля по сентябрь в Королевском Альберт-холле в Кенсингтон Гор проводится крупнейший из где-либо проводимых музыкальных концертов. Ласково называемые «Промс», променадные концерты Би-Би-Си Генри Вуда знакомят любителей музыки с широким репертуаром классической и современной музыки.

СПРАВА: *Роскошный интерьер Королевского дома оперы в Ковент Гардене в настоящее время редекорируют, чтобы улучшить условия как для публики, так и для исполнителей.*

СПРАВА: *Совсем недавно была исправлена акустика овального зала Королевского Альберт-холла благодаря тому, что к потолку подвесили блюдцеобразные формы. Зал вмещает более 7.000 человек.*

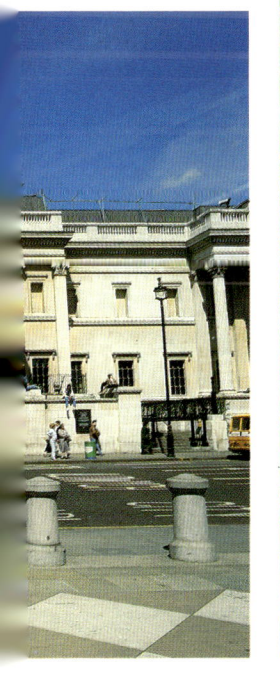

Южный берег

На пешеходном мосту Хангерфорд, ведущем в комплекс искусств на Южном берегу реки, перед посетителями открывается вид на искрящуюся Темзу с Иглой Клеопатры на переднем плане и раскинувшимся за ней Сити. Ночью в воде отражаются мириады огней.

Королевский фестивальный зал остался от Фестиваля Британии 1951 г. Любители классической музыки могут побывать в нем, в Зале королевы Елизаветы и в Пёрсел Рум на различных концертах и репетициях.

Под мостом Ватерлоо прячется Музей движущихся изображений, который дополняет собой Национальный театр фильмов. Рядом возвышается бетонная махина Национального театра, в котором даются лучшие британские и зарубежные постановки. Любители живописи и скульптур найдут немало интересных работ в галереи Хейвард.

СПРАВА: *Критикуемый за неудачную архитектуру, Центр на Южном берегу, тем не менее, приобретает совершенно определенный театральный вид, когда по вечерам в нем зажигаются огни.*

НИЖЕ В ЦЕНТРЕ: *Почти живыми выглядят восковые фигуры Генриха VIII и его шести жен, выставленные в музее Мадам Тюссо наряду со многими другими знаменитыми персонажами.*

ВНИЗУ: *Чудесами Солнечной системы можно любоваться из комфортного кресла в Лондонском Планетарии.*

Популярные выставки

С леденящими душу кровавыми событиями британской истории знакомит Лондонская темница на улице Тулей, а о том, кто был самым быстрым, самым толстым, самым высоким и т.п. можно узнать в Мире рекордов Гинесса на площади Пиккадилли.

Восковые фигуры любимых героев и героинь, а также ненавистных политиков и подлецов можно увидеть в музее Мадам Тюссо. Для контраста посетители могут откинутся на удобных креслах, рассматривая планеты и звезды в Лондонском планетарии. Оба музея расположены в одном здании на улице Мэрилебон Роад.

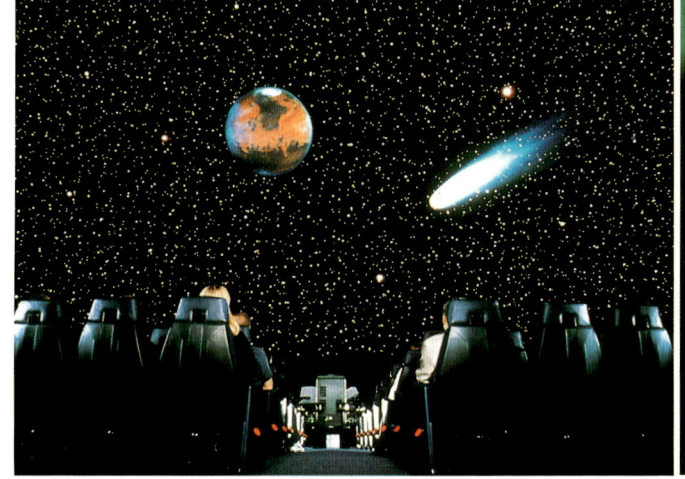

LLOYDS BANK
YOUNG THEATRE CHALLENGE
ESPRESSO BAR · NOW OPEN
DRIVERS
ONLY

Парки и сады

Королевские парки

Сент-Джеймский парк, старейший из королевских парков в центре Лондона, сначала был питомником оленя Генриха VIII, а также ристалищем (для проведения рыцарских турниров) и аллеей для боулинга. Своей прекрасной современной планировкой парк обязан Джону Нашу, переделавшему его в 1828 году. Особо очаровательный вид открывается через плакучие ивы на другом берегу пруда на шпицы и купола Вайтхолла.

Напротив Молла раскинулся Зеленый парк, в прошлом излюбленное место дуэлянтов и разбойников. В наше время конторские служащие спокойно проводят здесь пикники в пятнистой тени платанов.

Почти незаметно Гайд-парк переходит в Кенсингтонские сады, хотя последние – с Кенсингтонским дворцом в центре – более формальны по стилю. Угол Ораторов рядом с Мраморной аркой привлекает толпы людей. Здесь каждый, у кого громкий голос, может выступить на любую тему.

Островки на Серпентайне – райский уголок для водоплавающей птицы, а само озеро очень популярно у любителей катания на лодках. Вдоль Роттен Роу часто проезжают всадники.

Джон Наш по указанию Принца-регента занимался также Риджент-парком. В его Внутреннем кольце раскинулся сад королевы Марии, летом заполненный ароматом 20.000 розовых кустов. Пожалуй особенно красив парк весной, когда распускаются цветы на сотнях деревьев.

Многие посещают зоопарк, в котором живут более 12.000 животных, включая вскормленного там носорога Рози. Много веселья доставляет время кормления животных.

Сад Кью

Королевский ботанический сад в Кью очень популярен среди любителей растений. Хотя сад предназначен прежде всего для научных исследований, клумбы цветов разбиты в нем очень красиво. Особенно интересны теплицы, в которых можно полюбоваться необычным видом и красотой тропических деревьев, орхидей и других экзотических растений.

НАВЕРХУ: Скульптура вечно молодого «Питера Пэна» Дж.М.Бэрри с изложением основных моментов его волшебной истории стоит у Лонг Вотер в Кенсингтонских садах.

ВНИЗУ: Наибольший интерес у посетителей лондонского зоопарка в Риджент-парке вызывают носороги.

НАВЕРХУ: В Риджент-парке с ранней весны до поздней осени все время цветут изумительно красивые цветы.

СПРАВА: Музыка играющего на эстраде оркестра в Сент-Джеймском парке тихо убаюкивает в летнее послеполуденное время.

СЛЕВА: *Канал в Риджент-парке соединяется с Большим узловым каналом в Паддингтонском бассейне, и в конце-концов доходит до Темзы с востока от Лондона. Для того, чтобы наилучшим образом оценить очарование этого отрезка канала, проходящего через Риджент-парк, необходимо прокатиться на прогулочной лодке от Кэмденского шлюза до Маленькой Венеции через зоопарк.*

ВНИЗУ: *Небольшой приток Темзы был перекрыт плотиной, в результате образовалось озеро Серпентайн, которое безусловно является самой привлекательной частью Гайд-парка. Посетители могут часок-другой расслабиться, катаясь на лодках по озеру.*

Река Темза

Лучший вид на Темзу – с одного из прогулочных судов, отходящих от Вестминстера, Черринг Кросса или причалов Тауэра. Вверх по течению на смену величественному Парламенту и Ламбертскому дворцу появляется массивное здание электростанции «Баттерси», хмуро нависающего над оживленным скоплением плавучих домов. В другом направлении наиболее интересен лондонский Тауэр.

Между Тауэром и Хэмптон Корт реку пересекают 32 моста, часть – из скучного современного бетона, другие, как мост Альберта, ведущий в парк Баттерси, – из сложного переплетения викторианского железа. Больше всего снимается туристами Тауэрский мост, по которому можно прогуляться пешком и с которого открывается великолепный вид на реку.

СПРАВА: *Под Чейн Вок толпится целое сообщество плавучих домов. В прошлом плоскодонные ялики и баржи, они были переоборудованы в комфортабельные плавучие дома.*

ВНИЗУ СЛЕВА: *Мост Альберта отличается уникальной конструкцией на подвесках. В 1970-х годах потребовалось его укрепить для того, чтобы он справлялся с современным движением транспорта.*

Рядом стоит «HMS Белфаст», линкор времен Второй мировой войны, теперь музей. На нем можно осмотреть орудийные палубы, машинные отделения и лазарет.

К Тауэру примыкает док Св.Катарины, с большим вкусом переделанный в пристань для яхт, на которой можно отдохнуть, поесть и выпить, наблюдая за качающимися на волнах современными яхтами и историческими кораблями.

Путь вниз по реке по окрашенной в яркие цвета железной дороге Доклендса приводит в комплекс современных застроек, где роскошно переделанные склады соседствуют с ультрамодерными зданиями офисов и торговыми пассажами. На острове Собак стоят необычные здания, такие как «Дейли Телеграф» и Лондонская Арена на 12.000 зрителей, в которой проходят концерты попмузыки и спортивные соревнования.

НАВЕРХУ: *Интересной деталью на набережной Виктории выделяется привезенная в 1878 году из Египта Игла Клеопатры, которой 3.500 лет. Она была посвящена фараону Тетмосу Третьему, а имена Рамзеса II и Клеопатры были добавлены позднее.*

СПРАВА: *Железная дорога облегченного типа Доклендс обеспечивает скоростную связь между Тауэр Хилл или Стретфордом и Островным садом.*

КРАЙНЯЯ СПРАВА: *Док Св.Катарины был построен Томасом Телфордом в 1828 году.*

ВНИЗУ: *Две главные туристические достопримечательности – линкор «HMS Белфаст» и мост Тауэр за ним.*

Гринвич

Бывший порт Гринвич, в который регулярно ходят суда, встречает туристов элегантными линиями Военно-морского госпиталя Рена (теперь Королевский военно-морской колледж), окружающего очаровательный Дом Королевы классического стиля по проекту Иниго Джонса. Сегодня это – часть Национального морского музея. Позади, на холме Флэмстид – старинная Королевская обсерватория, основанная Чарльзом II в 1675 году, в которой спустя два столетия был проведен нулевой меридиан.

Неподалеку в сухом доке стоит быстроходный клипер «Катти Сарк» 1869 г. постройки. Рядом – героическая «Джипси Мот IV», на которой сэр Френсис Чичестер совершил кругосветное путешествие.

НАВЕРХУ: *Посетители могут осмотреть как верхние, так и нижние палубы «Катти Сарк», и полюбоваться впечатляющей коллекцией корабельных носовых украшений.*

НАВЕРХУ СПРАВА: *В Военно-морском колледже обучаются офицеры, поэтому для публики открыты только Окрашенный зал и Часовня.*

СПРАВА: *Дом Королевы, строительство которого было начато в 1616 году, предназначался для жены Джеймса I, Энн Датской.*

КРАЙНИЙ СПРАВА: *Западная сторона дворца Хемптон Корт с великолепной Большой сторожкой, построенной в правление Генриха VIII. Вдоль мощеных дорожек стоят геральдические звери.*

Хемптон Корт

Летом пассажиры могут проплыть вверх по реке до великолепного тюдоровского дворца, построенного кардиналом Волси. Он «подарил» его Генриху VIII, завидовавшему этому свидетельству богатства и власти. Говорят, что взывающий к милосердию призрак Катерины Ховард часто посещает Длинную галерею.

Рен позднее переделал дворец и сады, и теперь можно любоваться отделанными им парадными апартаментами. Заблудиться в лабиринте – одно из удовольствий от посещения Хемптон Корта.

СЛЕВА: *К югу от «Часового двора» Волси находится Сад с прудом, который был заложен примерно в 1700 году и перепланирован спустя 200 лет. К «Часовому двору» примыкает южная сторона дворца (справа на фотографии), которая выходит в сад Приви. Сэр Кристофор Рен спроектировал эту часть дворца Хемптон Корт для Уильяма и Марии в 1690-х годах, включив в нее роскошные парадные апартаменты, в которые ведет изумительно красивая Королевская лестница. Генрих VIII провел пять медовых месяцев в Хемптон Корте. Последним королем, который жил здесь, был Георг II. В наше время во дворце размещается превосходная коллекция ковров, картин и мебели.*

Пивные и люди

В любом районе Лондона – «местная» либо солидная пивная с покрытыми деревом стенами, либо безвкусная викторианская пивная или современный бар. Часто в пивных подают недорогую и хорошую пищу, а в некоторых по вечерам играют музыканты. В пивной «Королевская голова» в Ислингтоне выступает крошечный театр.

СПРАВА: *Открытая в 1546 году пивная «Йе Олде Митре» расположена в укромном дворе Эли.*

ВНИЗУ: *Пивную «Гренадер» в Белгравии посещал Герцог Веллингтон.*

СЛЕВА: *Один из самых лучших способов осмотреть Лондон (особенно в дождь) – со второго этажа двухэтажного автобуса.*

СПРАВА: *Полицейский городской полиции. Разговорное название «бобби» пошло от сэра Роберта (Боба) Пила, государственного деятеля времен королевы Виктории.*